CB020725

DIREITOS DO PEQUENO LEITOR

PATRICIA AUERBACH & ODILON MORAES

DIREITOS DO PEQUENO LEITOR

GRAFIA ATUALIZADA SEGUNDO O ACORDO ORTOGRÁFICO DA LÍNGUA PORTUGUESA DE 1990, QUE ENTROU EM VIGOR NO BRASIL EM 2009.

REVISÃO
ADRIANA MOREIRA PEDRO
ANA LUIZA COUTO

TRATAMENTO DE IMAGEM
M GALLEGO • STUDIO DE ARTES GRÁFICAS

DADOS INTERNACIONAIS DE CATALOGAÇÃO NA PUBLICAÇÃO (CIP)
(CÂMARA BRASILEIRA DO LIVRO, SP, BRASIL)

AUERBACH, PATRICIA
DIREITOS DO PEQUENO LEITOR / PATRICIA AUERBACH ; ILUSTRAÇÕES ODILON MORAES. — 1ª ED. — SÃO PAULO : COMPANHIA DAS LETRINHAS, 2017.

ISBN 978-85-7406-721-6

1. LITERATURA INFANTOJUVENIL. I. MORAES, ODILON. II. TÍTULO.

17-03091 CDD-028.5

ÍNDICES PARA CATÁLOGO SISTEMÁTICO:
1. LITERATURA INFANTIL 028.5
2. LITERATURA INFANTOJUVENIL 028.5

5ª reimpressão

2022

EDITORA SCHWARCZ S.A.
RUA BANDEIRA PAULISTA, 702, CJ. 32
04532-002 — SÃO PAULO — SP — BRASIL
☎ (11) 3707-3500
WWW.COMPANHIADASLETRINHAS.COM.BR
WWW.BLOGDALETRINHAS.COM.BR
/COMPANHIADASLETRINHAS
@COMPANHIADASLETRINHAS
/CANALLETRINHAZ

Para grandes leitores em começo de carreira.

Todo pequeno leitor tem o direito

DE SER O HERÓI,

ESCOLHER O PERSONAGEM PRINCIPAL

E DECIDIR QUANDO E COMO QUER LER.

TODO PEQUENO LEITOR TEM O DIREITO

DE BRINCAR COM AS PALAVRAS,

FAZER AMIGOS INCRÍVEIS

E LEVAR A TURMA TODA PARA PASSEAR.

TODO PEQUENO LEITOR TEM O DIREITO

DE FAZER DE CONTA,

AJUDAR NAS COMPRAS

E SABOREAR TUDO QUE APRENDER.

TODO PEQUENO LEITOR TEM O DIREITO

DE CONTAR HISTÓRIAS,

OUVIR HISTÓRIAS

E INVENTAR TUDO OUTRA VEZ.

TODO PEQUENO LEITOR TEM O DIREITO

DE SONHAR SEMPRE...

COM UM FINAL

FELIZ.

SOBRE ESTE LIVOR E DANIEL PENNAC

Há alguns anos, uma colega do curso de pedagogia me apresentou os Direitos Imprescritíveis do Leitor, escritos por Daniel Pennac, em sua obra *Como um romance*. O texto do autor francês é na verdade uma lista que autoriza qualquer leitor a fazer pequenas transgressões, como pular páginas ou abandonar a leitura antes do final de um livro. Desde aquele dia, Pennac tem sido para mim uma referência maravilhosa, uma verdadeira libertação que eu não canso de repetir para alunos, amigos e professores.

Mas, vendo meus filhos se alfabetizarem, senti falta de um texto que falasse com o jovem aprendiz, ainda preocupado em decifrar corretamente o código escrito. Foi assim que nasceu este livro, com a intenção declarada de garantir a leitores iniciantes o direito de misturar fantasia e mundo real, transformando a leitura numa grande brincadeira.

P. A.

PATRICIA AUERBACH

Nasci em São Paulo, em 1978, sou arquiteta e pedagoga e acredito que minha história tem muito a ver com a vida dos personagens que eu escolhi ler ao longo desses anos. Sou desse tipo de leitor que carrega sempre vários livros na mala, porque não consigo ler uma história só por vez. Sou do tipo que lê com um lápis na mão para poder sublinhar as frases mais incríveis. Uma leitora que não guarda datas ou nomes, mas é incapaz de esquecer o que foi dito nas entrelinhas. Nunca consegui pular páginas, como me permitiu Pennac, mas, quando conheci os Direitos Imprescritíveis do Leitor, foi delicioso saber que a leitura em voz alta estava autorizada.

ODILON MORAES

Nasci em São Paulo, em 1966, e sou formado em arquitetura, embora eu já ilustre livros desde os tempos de faculdade. Me senti tão bem com esse encontro da imagem com a literatura que acabei escrevendo os textos de alguns de meus livros também. Movido pelo mesmo prazer, me tornei um estudioso do gênero livro ilustrado.

Quando, nos anos 1990, fui morar na França, ganhei de presente de uma amiga o livro *Comme un Roman*, de Daniel Pennac. Foi nele que aprendi francês, assim como descobri meus direitos de leitor. Como ilustrador, defendo a inclusão de mais um direito entre eles: o de se demorar nas imagens.